Name _____

Fill in the missing letters.

b _ _   c _ _   m _ _

r _ _   h _ _   p _ _   c _ _

m _ _   f _ _   d _ _   s _ _

Now you draw the picture!

cab	can	van

Name _____ **Cut and paste.**

cat

cat	pan	bat

rat   ham   mad

rat	ham	mad

man   cap   hat

man	cap	hat

2

Name _____

Fill in the missing letters.

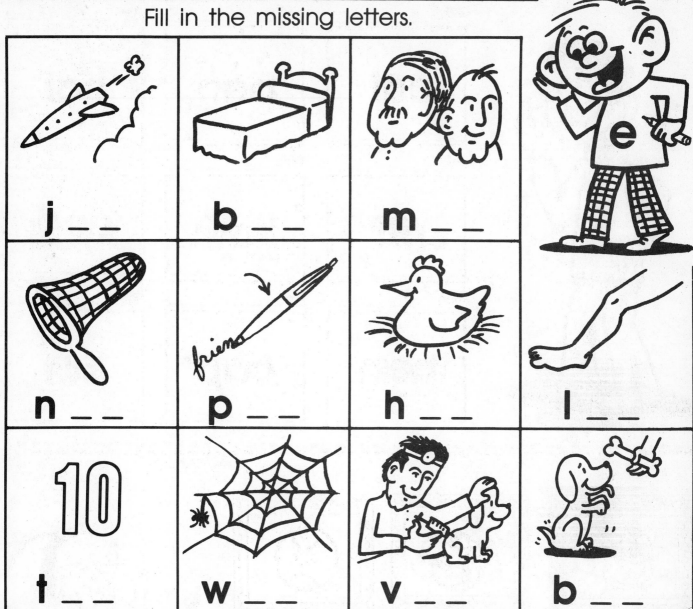

j _ _	**b** _ _	**m** _ _
n _ _	**p** _ _	**h** _ _
t _ _	**w** _ _	**v** _ _

l _ _

b _ _

Now you draw the picture!

pet	**bell**	**well**

Name _____ **Cut and paste.**

net	men	leg
net	**men**	**leg**

vet	web	bed
vet	**web**	**bed**

hen	pen	ten
hen	**pen**	**ten**

4

Name _____

Fill in the missing letters.

p _ _	w _ _	p _ _
h _ _	s _ _	b _ _
r _ _	f _ _	l _ _

i

d _ _

l _ _

Now you draw the picture!

kid	**mitt**	**hill**

Name _____ Cut and paste.

wig	pin	lid
wig	**pin**	**lid**

bib	dig	fin
bib	**dig**	**fin**

pig	lip	six
pig	**lip**	**six**

Name _____

Fill in the missing letters.

d _ _	l _ _	d _ _
h _ _	j _ _	m _ _
f _ _	p _ _	t _ _

b _ _

m _ _

Now you draw the picture!

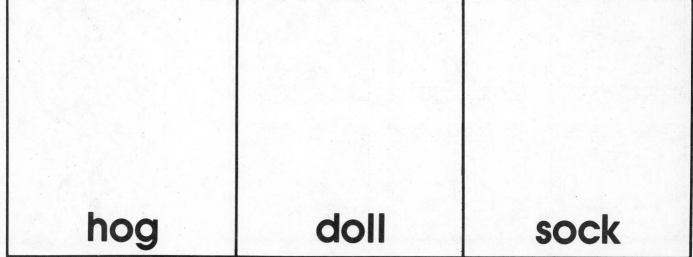

hog	doll	sock

Name _____ **Cut and paste.**

box	mop	mom
box	**mop**	**mom**

dot	hop	top
dot	**hop**	**top**

fox	dog	log
fox	**dog**	**log**

8

Fill in the missing letters.

b _ _	h _ _	s _ _
c _ _	c _ _	m _ _
b _ _	s _ _	j _ _

g _ _

g _ _

u

Now you draw the picture!

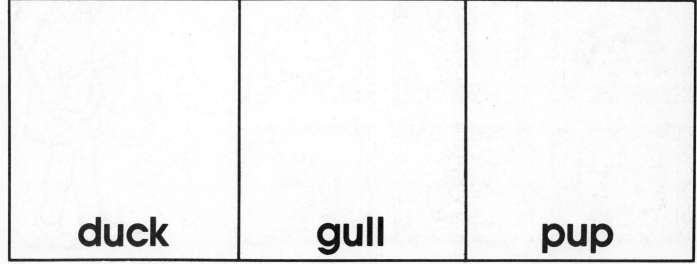

duck **gull** **pup**

Name _____ Cut and paste.

bug
| bug |

cup
| cup |

hut
| hut |

sub
| sub |

cub
| cub |

gun
| gun |

bus
| bus |

hug
| hug |

sun
| sun |

Name _____

Fill in the missing letter.

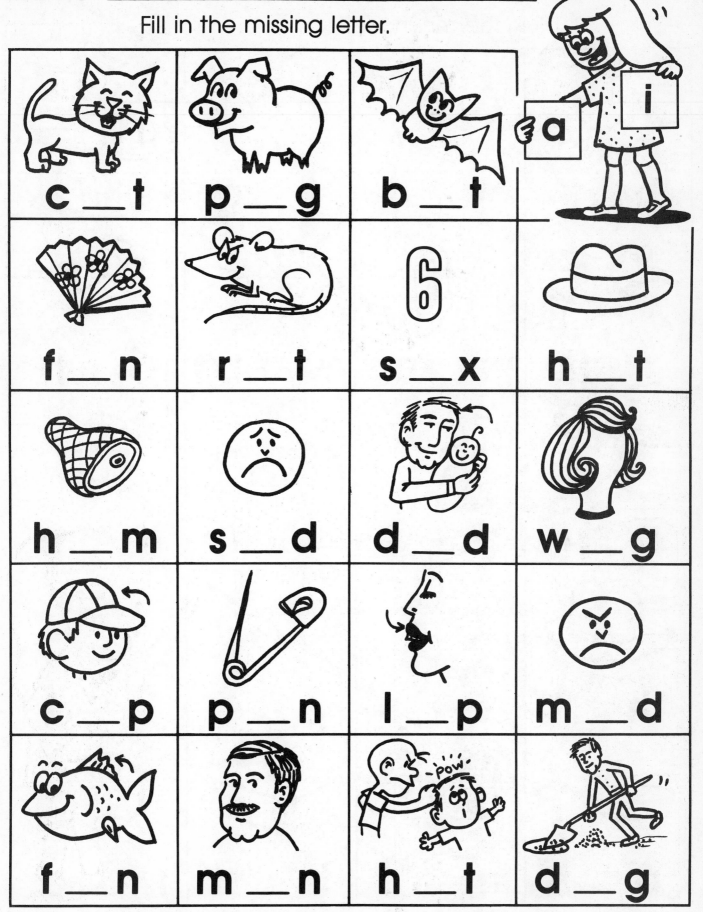

c _ t   p _ g   b _ t

f _ n   r _ t   s _ x   h _ t

h _ m   s _ d   d _ d   w _ g

c _ p   p _ n   l _ p   m _ d

f _ n   m _ n   h _ t   d _ g

Name _____

Fill in the missing letter.

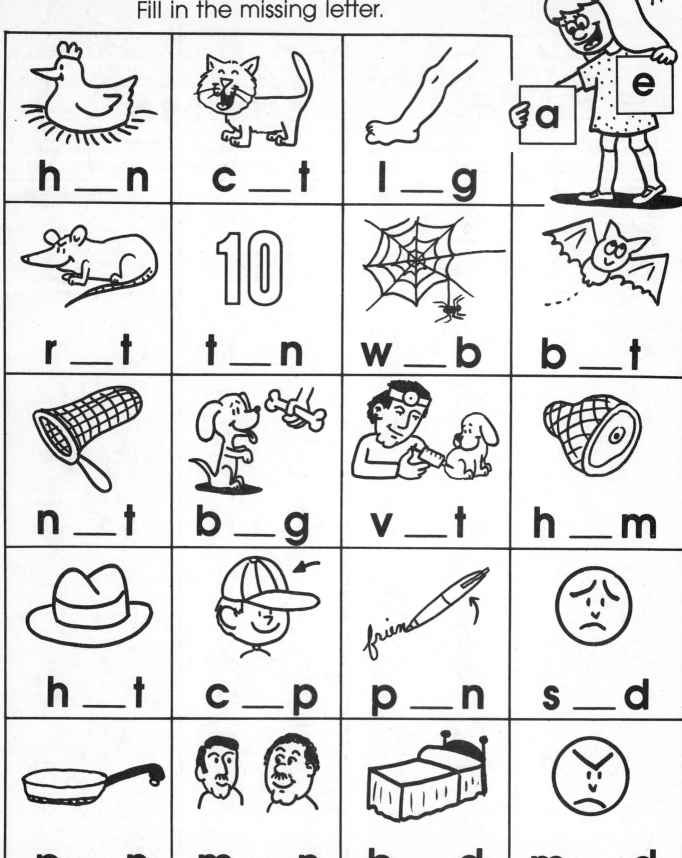

h __ n   c __ t   l __ g

r __ t   t __ n   w __ b   b __ t

n __ t   b __ g   v __ t   h __ m

h __ t   c __ p   p __ n   s __ d

p __ n   m __ n   b __ d   m __ d

Name _____

Fill in the missing letter.

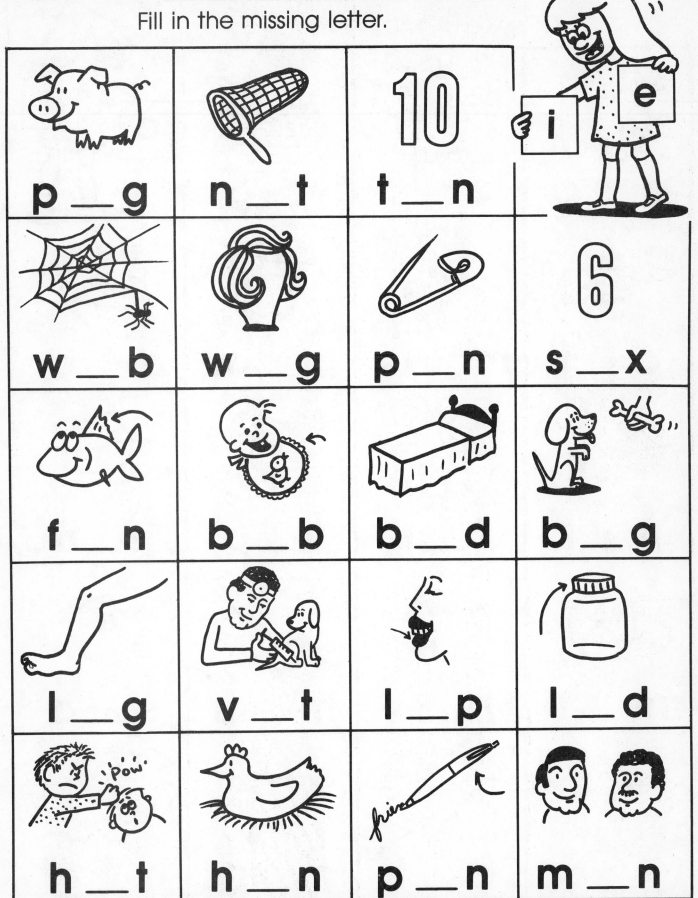

p _ g	n _ t	t _ n	
w _ b	w _ g	p _ n	s _ x
f _ n	b _ b	b _ d	b _ g
l _ g	v _ t	l _ p	l _ d
h _ t	h _ n	p _ n	m _ n

Name _____

Fill in the missing letter.

d _ g	c _ t	l _ g	

d _ t	m _ m	h _ m	d _ d
	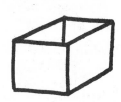		
r _ t	f _ x	t _ p	h _ t

m _ d	b _ x	m _ p	s _ d

j _ g	b _ t	c _ p	h _ g

14

Name _____

Fill in the missing letter.

b __ g   h __ t   c __ p   a   u

f __ n   m __ g   h __ t   m __ d

c __ p   b __ t   h __ g   r __ t

h __ m   g __ n   d __ d   s __ n

s __ b   j __ g   b __ s   c __ b

Name _____

Fill in the missing letter.

 **d __ g**	 **p __ g**	**d __ t**
 **w __ g**	 **p __ n**	**s __ x**	 **f __ x**
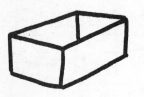 **b __ x**	 **f __ n**	 **l __ g**	 **m __ p**
 **t __ p**	 **b __ b**	 **l __ p**	 **l __ d**
 **d __ g**	 **m __ m**	 **j __ g**	 **p __ t**

Name _____

Fill in the missing letter.

d __ g	**b __ g**	**f __ x**	
	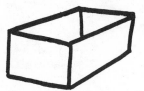		
c __ p	**b __ x**	**l __ g**	**d __ t**

m __ p	**t __ p**	**m __ m**	**m __ g**

g __ n	**h __ g**	**s __ n**	**j __ g**

b __ s	**s __ b**	**j __ g**	**c __ b**

Name _____

Fill in the missing letter.

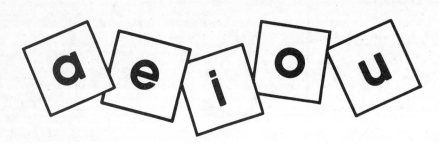

d _ g	b _ t	r _ t	h _ n
n _ t	f _ x	f _ n	b _ x
p _ g	b _ d	c _ p	p _ n
b _ g	d _ t	s _ n	g _ n

Name _____

Fill in the missing letter.

j _ g	p _ g	c _ _ p	l _ g
d _ g	b _ s	w _ g	s _ x
t _ n	p _ _ n	m _ _ g	w _ b
h _ n	s _ b	c _ t	h _ t

Name _____

Fill in the missing letters.

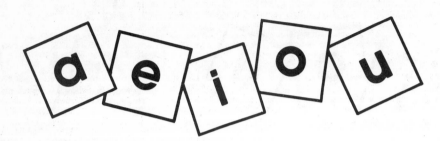

c _ _	h _ _	b _ _	b _ _ _
p _ _	w _ _	s _ _ _	d _ _ _
f _ _	p _ _ _	r _ _	f _ _ _
s _ _ _	c _ _ _	b _ _	g _ _ _

Name _____

Fill in the missing letters.

m _ _	j _ _ _	n _ _ _	s _ _
d _ _ _	c _ _ _	f _ _ _	d _ _ _
t _ _	m _ _ _	b _ _ _ _	p _ _ _
m _ _ _	b _ _ _	h _ _ _	s _ _

Cards

Cut out cards and use with gameboard on cover. Player draws a card and moves to the next appropriate vowel sound on board.

h __ t	w __ g	c __ p	t __ n
s __ d	p __ g	c __ t	b __ b
m __ d	p __ n	l __ p	r __ t
b __ t	s __ x	h __ t	f __ n
d __ d	f __ n	p __ n	h __ m

Name _____

Spell the whole word.

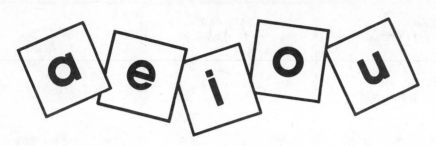 

_ _ _	_ _ _	_ _ _	_ _ _
_ _ _	_ _ _	_ _ _	_ _ _
_ _ _	_ _ _	_ _ _	_ _ _
_ _ _	_ _ _	_ _ _	_ _ _

Cards

Cut out cards and use with gameboard on cover. Player draws a card and moves to the next appropriate vowel sound on board.

d __ g	p __ g	b __ t	p __ n
s __ x	f __ x	c __ t	w __ g
m __ d	r __ t	l __ g	f __ n
b __ b	t __ p	d __ t	h __ t
b __ x	m __ n	c __ p	p __ n